Introduction

▶ « Il faut espérer que
ce jeu finira bientôt » :
caricature du paysan
portant sur son dos
le noble et le prêtre.

8

f
23/09/04
9186

Dans la même collection

Connectez-vous sur :
www.lamartiniere.fr

Conception graphique : Isabelle Southgate
© 2003, Éditions De La Martinière SA (Paris, France)

Bertrand Solet

La vie des enfants

La Révolution française

Éditions du Sorbier

Sommaire

Ce n'est pas sans raison que l'on fête chaque année le 14 juillet. Ce jour-là, en 1789, les Parisiens se sont emparés par la force d'une prison royale et l'ont détruite. La prise de la Bastille symbolise le début de la Révolution.

Avant, la France vivait sous le régime de la monarchie absolue : le roi était « d'essence divine », le représentant de Dieu. Nul ne pouvait s'opposer à sa volonté, il gouvernait à sa guise en s'appuyant surtout sur la noblesse, considérée comme l'élite du pays. Celle-ci ne représentait même pas 2 % des habitants du royaume. Il suffisait de naître duc, comte ou marquis, pour espérer du roi une responsabilité dans le gouvernement et l'administration. Les cadeaux et les pensions offerts aux nobles par le roi atteignaient chaque année le quart du budget du royaume. Les enfants du peuple, eux, n'avaient pas grand-chose à attendre du souverain, quels que soient leurs mérites. En particulier les paysans, pourtant l'essentiel de la population.

La révolte couvait depuis longtemps. Des philosophes, Voltaire, Rousseau, Diderot, avaient lancé des idées de liberté et d'égalité. Les bourgeois (commerçants, propriétaires, hommes de loi) ne supportaient pas d'être tenus à l'écart de la conduite du pays.

La Révolution triompha, la bourgeoisie prit le pouvoir, soutenue par une large partie des paysans. À cet instant eut lieu le changement fondamental qui nous marque toujours : tous les citoyens, quelle que soit leur naissance, devinrent libres et égaux. Toutefois, l'égalité mit du temps à s'imposer. Par exemple, au début, seuls les citoyens les plus riches eurent le droit de vote ; il fallut aussi attendre des dizaines d'années avant que l'école soit fréquentée par tous, et bien davantage pour que les femmes obtiennent les mêmes droits que les hommes... La liberté, l'égalité et la fraternité ont toujours des progrès à faire.

▼ La réunion des États généraux, le 5 mai 1789,
permet à la population d'exprimer son mécontentement.

Le peuple mécontent

En cette année 1788, le roi Louis XVI manque d'argent : les dépenses de l'État dépassent largement les recettes, c'est-à-dire les impôts versés par les Français. Pourtant la France est riche, et c'est le plus peuplé des pays d'Europe avec 26 à 28 millions d'habitants. Mais la richesse est aux mains de ceux qui ne paient pas d'impôts, nobles, haut clergé (évêques, archevêques...) et une minorité de grands bourgeois. Ne pas payer d'impôts est l'un de leurs privilèges. De plus, l'argent public est très souvent gaspillé.

Pour faire approuver de nouveaux impôts, le roi convoque les États généraux composés des représentants de la noblesse, du clergé (les prêtres) et du tiers état (les bourgeois et le peuple). Cette convocation s'accompagne, comme c'était l'usage, d'une consultation des Français destinée à montrer que le roi s'intéresse à leur situation. La rédaction des cahiers de doléances (ce sont les plaintes et les réclamations) dans les campagnes et les villes montre la profondeur du mécontentement et le désir de changement du peuple.

Doléances, plaintes et
remontrances que présentent au Roy
notre Souverain Seigneur, les gens du
Tiers État de la Sénéchaussée de
Lauragois Siège Séans à Castelnaudary

Formation de l'assemblée des États généraux

Le Voeu du Tiers État de la Sénéchaussée de
Lauragois est que les députés votent aux États généraux
par Tête et les autorisent néanmoins à voter par ordre
Si le Voeu ne peut Être rempli

Droits de la Nation
art 1er

Qu'aucune Loy ne soit Établie à l'avenir que par le
concours du Roy et des États généraux ou elles
seront promulguées
art 2e

Qu'incontinent après leur promulgation elles seront
adressées aux cours de Justice pour y Être de suite
transcrites sur leurs registres sans aucun changement
ni modification
art 3e

Que les reglements de police et d'administration que

Une bonne partie de ce mécontentement est d'ailleurs due aux impôts existant déjà, lourds et injustes : impôt pour le roi, appelé la taille, et taxes multiples. Celle sur le sel, par exemple, dont l'achat est obligatoire, a pour nom gabelle et son montant varie selon les provinces, pouvant atteindre en un endroit 20 fois celui payé dans un autre. Impôts pour le seigneur (champart) et droits féodaux multiples, pour moudre le grain, cuire le pain, remplacer les corvées... Impôts pour le clergé aussi : une gerbe de blé sur douze revient au curé (c'est la dîme).

À cette époque, huit Français sur dix sont des paysans. La terre appartient pour une large part aux seigneurs.

Quand ils sont propriétaires, les paysans ne possèdent le plus souvent que de petites parcelles, insuffisantes pour nourrir leur famille. Du printemps à l'automne, les hommes s'occupent des cultures, l'hiver, ils travaillent le bois, le fer, réparent la maison et les outils ; les femmes soignent les animaux, filent et tissent. Les enfants ne vont pas souvent à l'école organisée par les curés de village. Ils travaillent comme les adultes et n'ont guère le temps de s'amuser. Ils aiment pourtant jouer à la balle, aux osselets, à « coupe-tête » (saute-mouton), à « pince-merille » (pigeon vole) ou bien à attacher de vieilles casseroles à la queue des chiens et des chats.

12

Beaucoup d'enfants sont bergers, ce qui est parfois dangereux parce que les loups abondent dans les forêts. Après les moissons, les enfants vont glaner dans les champs les céréales oubliées ; ils cueillent les fruits, coupent de l'herbe pour les bêtes, ramassent du bois, rapportent de l'eau à la maison, et accomplissent bien d'autres corvées chaque jour.

Les plus dures tâches ne leur sont pas épargnées, comme briser les mottes de terre à l'aide d'une pioche afin que le père puisse mieux labourer avec sa charrue attelée à un bœuf, un âne ou un mulet. Parfois, l'homme s'attelle lui-même à la charrue pour aider l'animal, surtout quand la terre est mauvaise.

Parfois, les enfants braconnent : ils installent des pièges pour capturer un oiseau ou un lièvre, qui sont les bienvenus pour améliorer le repas familial, le plus souvent composé de pain, de soupe, de légumes. La viande est plutôt rare... Seulement, braconner est risqué, puni parfois de la peine de mort, la chasse étant réservée uniquement aux nobles.

Les filles vont encore moins souvent à l'école que les garçons. Elles prennent la place de leur mère, occupée aux champs avec le mari, ou bien à tisser et à coudre les chemises et les mouchoirs nécessaires au foyer. Elles aident à la cuisine, font le ménage, la lessive au lavoir public ; elles portent à manger et

▲ Les travaux agricoles sont les plus durs et les plus fatigants.

à boire aux laboureurs, accompagnent leur mère au marché du village, pieds nus, leurs sabots à la main pour ne pas les user trop vite. Dès l'âge de dix ans, lorsqu'il y a trop d'enfants dans la famille, on cherche à placer certaines d'entre elles comme servantes.

De même, quand une famille en a les moyens, elle confie les garçons à un artisan (charpentier, maçon...). L'apprentissage dure de deux à sept ans selon la profession, et il est à la charge des parents. Des fabriques de toiles peintes et des filatures de coton reçoivent des apprentis âgés de six ans à peine...

Au bord de la mer, de jeunes mousses s'embarquent sur les bateaux de pêche ; ils servent de domestiques aux marins. Partout, les enfants essaient de gagner un peu d'argent, parfois loin du foyer familial.

▲ **En ville, les enfants peuvent apprendre divers métiers, comme dans cet atelier de menuiserie.**

En Savoie, par exemple, des centaines d'enfants prennent la route le lendemain de la Toussaint, pour ne revenir qu'au printemps ; des garçons principalement, mais aussi quelques filles déguisées ; ils vont jusqu'à Lyon et même Paris. Ce sont les ramoneurs, leur taille leur permet de se glisser dans les cheminées pour y racler la suie et la poussière, qu'ils avalent au passage à s'en remplir les poumons. Entre deux ramonages, ils deviennent décrotteurs de souliers, laveurs de vaisselle dans les auberges, ramasseurs de peaux de lapin. Une vie dure comme celle de la majorité des enfants de France, mal acceptée malgré l'habitude ancienne de courber la tête et d'obéir.

NICOLAS

FILS DE PAYSAN

Ce matin du printemps de 1789, Nicolas se réveille en sursaut. Ses parents s'agitent car les collecteurs d'impôts, arrivés au village, vont de maison en maison, ils ne tarderont pas. Louise, la sœur de Nicolas, fuit par la porte arrière, tout effrayée. Elle traîne leur dernière chèvre pour la cacher, afin que les collecteurs ne la prennent pas.

Ils arrivent, ils entrent brusquement, sans se gêner. Ils ne sont guère polis, les collecteurs du roi ; ils réclament de l'argent, exigent d'être payés le jour même !

▶ *En 1789, une famille de paysans peut compter jusqu'à sept enfants.*

15

◄ *À la chasse, le noble se moque des dégâts qu'occasionnera son cheval dans les champs cultivés.*

Nicolas se souvient de ces dures semaines passées ; le pain faisait défaut et aussi le bois de chauffage. Ses camarades et lui devaient s'éloigner de plus en plus pour ramasser des branches mortes ; les gardes forestiers qui surveillaient les forêts appartenant aux seigneurs tiraient sur eux des coups de fusil afin de les empêcher d'approcher.

Les collecteurs ont fouillé partout, sans rien trouver qui ait quelque valeur. Ils partent, promettant de revenir :

« Préparez-vous à payer, n'importe comment ! »

Louise ramène la chèvre, Nicolas s'est levé et termine en hâte son bol de soupe : il doit aller, comme chaque jour, protéger le jardin familial menacé par les pigeons élevés dans les trois châteaux des alentours. Ces oiseaux sont lâchés tôt le matin et viennent se servir dans les jardins du village, où ils abîment aussi les pêches et les poires en train de mûrir. Il faut mettre en terre chaque année deux fois plus de semences que nécessaire pour obtenir une récolte normale. Et dire que nul n'a le droit de toucher aux pigeons puisqu'ils appartiennent aux seigneurs ! Nicolas et les autres enfants ne peuvent qu'essayer de les empêcher d'approcher, en criant et en agitant des chiffons.

Non, les seigneurs ne se gênent pas. Nicolas a déjà vu de jeunes nobles passer dans les vignes des paysans au grand

Les parents se défendent, rappellent l'orage de l'été passé, la grêle qui a détruit les vergers et les vignes jusqu'à Paris. Les récoltes des jardins ont été si maigres que les paysans propriétaires n'ont pas eu grand-chose à vendre sur les marchés. Ils ont passé un terrible hiver, certains sont même allés mendier en ville. Comment payer les impôts après cela ?

Les collecteurs lèvent les bras au ciel, ils ne veulent rien entendre. Le roi a besoin d'argent !

galop, frapper du bâton sur les grappes de raisin. C'est un jeu pour eux.

Nicolas soupire, la vie est ainsi faite. Aujourd'hui encore, ses camarades et lui n'auront pas trop le temps d'aller jouer dans la carrière voisine où se trouvent tant de recoins merveilleux. Pour se consoler, le garçon se dit qu'il sera bientôt possible de se baigner dans la grande mare, en haut du village. Il se voit déjà sauter dans l'eau, le plus loin possible, sous le regard moqueur des filles installées à l'écart sur la berge.

En sortant de chez lui, Nicolas entend son père se plaindre, des impôts bien évidemment. Il crie qu'on veut les augmenter encore, qu'ils représentent déjà vingt ou trente pour cent de ce qu'il gagne en travaillant durement ! Dans d'autres régions, ils sont encore plus élevés ! Les nobles, eux, ne paient rien ! Au contraire, ils se servent sur le dos des petites gens ! Les choses ne peuvent plus durer ainsi, il y a trop d'injustice !

▲ *Cette caricature le montre bien : les paysans sont écrasés sous le poids des impôts dus au seigneur et au clergé.*

17

▲ La prise de la Bastille est la première action du peuple en lutte pour sa liberté.

Le feu aux poudres

▶ Ce garde national semble fier de porter le drapeau tricolore de la Révolution.

Les États généraux convoqués par le roi se réunissent à Versailles. Mais les réunions ne se déroulent pas comme l'avait prévu Louis XVI. Les représentants du tiers état, en fait la grande bourgeoisie, montrent leur force, s'opposent à la noblesse. Ils se proclament Assemblée nationale. Ils affirment solennellement qu'ils veulent jouer un rôle dans la vie publique et qu'il faut adopter pour cela des règles et des lois (serment du Jeu de paume). Il ne s'agit pas seulement de voter des impôts !

Le roi n'y peut rien, l'agitation grandit à Paris où le peuple soutient ses députés en dépit de la présence de l'armée. Les Parisiens s'emparent de milliers d'armes et montent à l'assaut de la Bastille, le 14 juillet 1789. Forteresse et prison, elle est le symbole de l'autorité royale. Une municipalité bourgeoise se met en place.

De nombreuses villes suivent l'exemple de Paris. La bourgeoisie y prend le pouvoir et organise des détachements armés de gardes nationaux pour se défendre. Les enfants sont souvent dans la rue et participent parfois aux événements. Dans certains endroits, ils essaient de se faire enrôler comme gardes, en dépit de leur âge. Dans les villages, les enfants tendent l'oreille, comme leurs aînés, sans trop comprendre encore ce qui se passe. Les nouvelles parviennent lentement dans les régions éloignées, et sont confuses.

C'est le temps de la Grande Peur : un peu partout, des rumeurs annoncent l'arrivée de brigands dans les villages. Puis, les gens apprennent ce qui se passe vraiment à Paris. La révolte se propage alors parmi les paysans, qui font brûler les châteaux pour détruire les documents où est inscrit ce qu'ils ont à payer au seigneur.

Devant cette vague révolutionnaire, l'Assemblée nationale décide, avec l'accord du roi, l'abolition des privilèges de la noblesse et du clergé. Une décision incroyable : on proclame la suppression des droits féodaux et celle de la dîme, chaque Français peut désormais prétendre à tous les emplois... Cela se passe durant la nuit du 4 août 1789. Trois semaines plus tard, la Déclaration des droits de l'homme et du citoyen annonce la fin de l'Ancien Régime, c'est-à-dire de la monarchie absolue : « Les hommes naissent et demeurent libres et égaux en droits. » Désormais, c'est l'Assemblée nationale qui va diriger le pays, en accord avec le roi. Celui-ci conserve un droit de veto lui permettant de s'opposer à des décisions prises par les députés, mais la pression populaire pèse sur lui, il ne peut faire ce qu'il veut.

Dans les rues de la capitale, la joie et l'espoir fleurissent. Jeunes et moins jeunes chantent en chœur une chanson nouvelle qui remplace les airs en vogue jusqu'alors : *Le Bon Roi Dagobert*, *Il pleut, il pleut bergère* ou *J'ai du bon tabac dans ma tabatière*. La chanson s'appelle *Ah ! ça ira, ça ira*. Au début, ses paroles se réjouissent du beau temps qui vient ; bientôt, les paroles vont se transformer, se durcir, réclamer qu'on pende les nobles.

▲ La célèbre Déclaration des droits de l'homme et du citoyen
met fin au pouvoir absolu du roi.

Marie-Victoire
apprentie

▲ *Le roi et les révolutionnaires assistent à la fête de la Fédération côte à côte. Leur accord apparent ne va pas durer.*

M arie-Victoire vient d'arriver à Paris. Apprentie lingère dans une boutique élégante de la rue Saint-Honoré, elle loge dans le dortoir installé au grenier. Avec les autres apprenties, elle prépare chaque dimanche la nourriture de la semaine dans une grosse marmite et achète le pain, qui va durcir de jour en jour. Marie-Victoire travaille beaucoup, mais elle est heureuse d'apprendre un métier.

Dans son village, les seules distractions consistaient en veillées chez les voisins, un bal de temps à autre, et en messes et processions pour célébrer les fêtes religieuses et les grands événements du royaume, telle la guérison d'un prince malade.

À Paris, la vie est différente, les gens se rassemblent tout le temps, manifestent, chantent. Le 14 juillet 1790, la patronne a autorisé ses apprenties à célébrer au Champ-de-Mars le premier anniversaire de la prise de la Bastille. Les filles sont revenues à la boutique grisées par la foule, mouillées de pluie, mais émerveillées par la cérémonie grandiose, les discours, le défilé des gardes nationaux et les joutes sur la Seine, où des porteurs de lance se sont affrontés d'une barque à l'autre comme les chevaliers d'autrefois.

▼ Les journaux naissent par centaines,
le peuple a désormais le droit de s'exprimer.

La Révolution s'organise

Dans certains quartiers de Paris et dans sa banlieue (les faubourgs), l'agitation ne cesse pas. Voilà des siècles que les gens n'avaient pas le droit de parole, maintenant chacun veut s'exprimer. Depuis la rédaction des cahiers de doléances, l'habitude a été prise, à Paris et dans les grandes villes, de tenir des réunions par quartiers. De plus, des clubs et des sociétés populaires accueillent bien du monde, et l'on discute des problèmes d'actualité et de l'avenir, des heures durant. Des journaux sont nés par centaines, y compris en province, qui donnent librement leur opinion sur les événements, ce qui ne les empêche pas d'annoncer des faits divers et de laisser une place aux petites annonces, mariages, propositions de produits miracles pour guérir n'importe quelle maladie. Des théâtres s'ouvrent aussi, nombreux, offrant des spectacles de toute sorte, certains appréciés à la fois par les enfants et par leurs parents. Ainsi, l'aventure du valet d'un savant qui part en ballon sur la lune où il organise la révolution.

« Oui, nous nous souviendrons toujours des sans-culottes des faubourgs, ce sont de bons garçons, à leur santé buvons... » (chanson d'époque).

Les députés travaillent, préparent une Constitution, un texte qui servira de base au gouvernement de la France. Cependant, les questions religieuses divisent le pays : l'État prend en charge le salaire des prêtres puisque la dîme a été supprimée ; en revanche, il confisque les biens de l'Église, devenus biens nationaux. Les prêtres doivent prêter serment ; beaucoup refusent.

Autre désaccord important : certains hommes politiques estiment que la Révolution est terminée car la grande bourgeoisie a obtenu ce qu'elle voulait, gouverner avec le roi. D'autres, au contraire, se battent avec des députés comme Robespierre pour que la Révolution ne profite pas seulement à la bourgeoisie mais aussi aux gens du peuple. Ils réclament pour tous le droit de vote donné pour l'instant aux seuls citoyens « actifs », c'est-à-dire aux plus riches qui paient le plus d'impôts. Ils veulent aussi des mesures pour empêcher que le coût de la vie n'augmente encore.

C'est dans les faubourgs populaires de Paris – Saint-Antoine, Montmartre, Poissonnière, Popincourt, Montreuil –

que l'on s'agite le plus. C'est là que vont s'organiser les sans-culottes, ouvriers et artisans portant des pantalons et non la culotte longue (caleçons de dessus) et les bas de soie des riches et des aristocrates. Des sans-culottes dont l'action va peser lourd sur l'histoire de France.

En marge des événements politiques, des fêtes officielles, du bouillonnement des idées nouvelles, la vie continue, le travail, bien entendu, mais aussi les moments de détente. Les enfants de Paris courent derrière un cerceau, jouent au volant ou aux billes. Il y a toujours, dans les avenues et près des ponts, des saltimbanques avec leurs chèvres et leurs singes savants qu'on regarde s'agiter en mangeant des gaufres vendues par des marchands ambulants. Leur prix aussi augmente... Dans les jardins des Champs-Élysées et des Tuileries, les spectacles de marionnettes attirent la foule des spectateurs. Polichinelle et Arlequin sont animés par des ficelles.

▼ Les enfants trouvent toujours le temps de jouer. Au loin, une montgolfière, inventée depuis peu.

► *Capturés en Afrique, ces esclaves vont être vendus comme du bétail.*

ANTOINE
FILS D'ARMATEUR *

S on père possède des bateaux à Bordeaux, son oncle fait le commerce du vin avec des pays d'Amérique. Antoine n'a que onze ans, mais rêve déjà de voyages.

Un professeur vient tous les jours à l'hôtel particulier où il demeure. Antoine s'intéresse surtout à la géographie, aux mathématiques et à l'astronomie, qui permettent de diriger les navires sur l'océan. Il voudrait apprendre à manier l'épée et à tirer au pistolet avec un maître d'armes, mais son père dit qu'il est trop jeune. Pourvu qu'il n'ait pas l'idée de le garder plus tard dans ses bureaux !

Antoine se voit déjà en route pour les îles lointaines occupées par la France : Martinique, Guadeloupe, Saint-Domingue. Peut-être aura-t-il la chance de croiser en mer un navire corsaire avec qui il faudra se battre ? Il ne pense qu'à cela, les affaires françaises, la Révolution, l'intéressent fort peu.

Dans les cuisines de l'hôtel travaillent des domestiques noirs ramenés des îles par un capitaine. Une petite fille se trouve parmi eux. Elle rêve des îles, elle aussi, mais pour d'autres raisons qu'Antoine : ses parents, des esclaves, sont restés là-bas. Ils peinent du matin au soir sous le fouet des maîtres.

25

* **Armateur :** propriétaire de navires.

La patrie en danger

Louis XVI n'accepte pas la Révolution. S'il fait bonne figure en public, en privé il agit contre elle, y compris hors de France. Dès l'annonce de l'abolition de leurs privilèges, bien des nobles se sont enfuis à l'étranger, d'autres royalistes ont commencé à s'organiser en province contre le pouvoir révolutionnaire. En juin 1791, le roi veut fuir à son tour, il est rattrapé à Varennes, puis ramené à Paris. Alors il se met à œuvrer pour que la France déclare la guerre à l'Autriche, persuadé que l'armée française sera défaite car les deux tiers de ses officiers, des nobles, se sont enfuis. La victoire de l'empereur, le frère de son épouse Marie-Antoinette, devrait le rétablir sur le trône avec ses privilèges d'autrefois.

La guerre est déclarée contre l'Autriche et la Prusse. Les opérations militaires s'engagent mal, la France est envahie.

L'Assemblée nationale proclame alors « la patrie en danger ». Aussitôt, les volontaires se présentent par dizaines de milliers pour signer leur engagement sur les estrades installées aux carrefours des villes et sur les places des villages. L'enthousiasme est grand, enfants et adultes entendent pour la première fois à Paris un chant nouveau qui fait battre le cœur plus vite et monter les larmes aux yeux. C'est un chant de marche écrit pour les soldats des provinces de l'Est, l'armée du Rhin, mais que les volontaires venus de Marseille font connaître. Et le chant devient *La Marseillaise* : « Amour sacré de la patrie, conduis, soutiens nos bras vengeurs, liberté, liberté chérie, combats avec tes défenseurs... » Bientôt, quand la République sera proclamée, un autre chant naîtra pour enflammer les soldats, *Le Chant du départ* : « La République nous appelle, sachons vaincre et sachons périr, un Français doit vivre pour elle, pour elle un Français doit mourir ! »

Les volontaires sont acceptés dès l'âge de dix-huit ans, mais les exceptions sont nombreuses : des hommes viennent s'inscrire accompagnés de leur fils. Ainsi, dans le département de la Meurthe, on enrôle le joueur de tambour Antoine Boutz, présenté par son père et âgé de douze ans seulement.

Petit à petit se créent des « bataillons de la jeunesse ». Les jeunes soldats s'entraînent tous les jours et font en public le serment solennel de suivre l'exemple de leurs aînés et de servir la patrie. Une loi de l'Assemblée nationale décide que tous les enfants doivent s'exercer à la marche, à la natation et suivre un entraînement militaire pour acquérir au plus tôt force, adresse et agilité. Un responsable révolutionnaire donne même des précisions dans un article de journal : les enfants apprendront à nager d'une seule main, la seconde servant à maintenir leurs vêtements hors de l'eau... Dans la pratique, la loi sera peu appliquée.

La guerre contre des pays étrangers s'accompagne de soulèvements armés contre-révolutionnaires dans le Midi, à Lyon, en Vendée. Des administrations royalistes s'installent en province et résistent aux révolutionnaires et à leurs décisions.

▲ Des volontaires s'engagent dans l'armée pour défendre la France contre l'invasion étrangère.

▲ Caricature anglaise de la *Marche des Marseillois*, avec costumes et allure fantaisistes des soldats.
Ce *Chant de guerre pour l'armée du Rhin*, composé par Rouget de Lisle,
va devenir l'hymne national français sous le nom de *Marseillaise*.

Les deux Joseph

Enfants révolutionnaires

▲ *La guerre entre révolutionnaires et royalistes n'épargne pas les enfants.*

En juillet 1793, des royalistes marseillais se battent contre des soldats révolutionnaires au bord de la Durance. Nombreux, ils veulent passer la rivière sur un bac* pour s'attaquer à d'autres gardes nationaux. Un garçon de treize ans s'élance, une hache à la main. C'est Joseph Agricol Viala, le commandant d'un bataillon de jeunes appelé « L'espérance de la patrie ». Les balles sifflent autour de lui, Viala arrive jusqu'au bac, tranche la corde qui le retient au rivage. Le courant emporte le bateau mais le garçon est tué par les royalistes à coups de baïonnette.

Tel Viala, Joseph Bara a treize ans ; il est tambour, engagé volontaire dans un régiment qui combat en Vendée le soulèvement royaliste. Ce jour-là, en décembre 1793, il garde des chevaux. Des royalistes surgissent et veulent le forcer à crier : « Vive le roi. » Bara refuse, les insulte et crie : « Vive la Révolution. » Les Vendéens l'abattent.

Joseph Agricol Viala et Joseph Bara ont été enterrés à Paris, au Panthéon, un monument consacré au souvenir des grands hommes qui ont honoré leur pays.

* **Bac :** bateau à fond plat.

Paris aux cent visages

Malgré la guerre, la vie continue. Bien des Parisiens assistent aux bals organisés par les soldats de province. Ils entendent pour la première fois le son des galoubets, ces flûtes méridionales, et celui des cornemuses d'Auvergne.

Les événements se succèdent. Une loi paraît abaissant l'âge minimum des mariages : 15 ans pour les garçons, 13 ans pour les filles. La Constitution est adoptée en septembre 1791, de nouveaux députés siègent à l'Assemblée législative qui remplace l'Assemblée constituante. La fuite du roi lui a fait perdre une bonne part de sa popularité, les sans-culottes des faubourgs veulent le renverser. Dans la nuit du 10 août 1792, une foule de Parisiens et de volontaires de province en armes s'empare des Tuileries, demeure de Louis XVI. Le roi est déchu, malgré la protection d'un certain nombre de députés ; il perd son titre et ses responsabilités, tandis que les révolutionnaires parisiens organisent une municipalité puissante, la Commune, dont le pouvoir dépasse largement le cadre de la capitale et pèse sur les

◀ Sur cette image symbolique,
on peut voir les révolutionnaires danser
tandis qu'au loin s'enfuient les ennemis.

décisions gouvernementales. Sur le front, l'armée française bat les Autrichiens à Valmy. La République est proclamée le 21 septembre 1792.

Convaincu de trahison, le roi est condamné à mort. Son exécution accentue encore les différences entre les révolutionnaires, les uns plus modérés que les autres. Elle provoque aussi une réaction des pays royalistes d'Europe. Bientôt, la France est de nouveau envahie, tandis que soixante-dix départements sont maintenant touchés par des mouvements armés contre-révolutionnaires.

Face à cette situation d'une gravité exceptionnelle, le nouveau gouvernement de la République est doté de tous les pouvoirs ; il est dirigé par un Comité de salut public, aucune opposition n'est plus tolérée, c'est le temps de la Terreur. Même si elle ne touche qu'une minorité de gens, la Terreur frappe non seulement des coupables mais parfois aussi des suspects innocents. Les opposants à la politique pratiquée sont condamnés, y compris des responsables aussi puissants et populaires que Danton.

Dans les rues de Paris, on s'écarte devant les charrettes qui mènent les condamnés à la guillotine. Celle-ci fait tellement partie de la vie quotidienne que Polichinelle et Arlequin en utilisent une miniature contre leurs ennemis dans les spectacles de marionnettes. Les enfants rient, c'est un jeu. Dans la réalité, leur réaction est bien différente, comme celle des adultes dont le cœur se serre.

L'atmosphère change à Paris comme en province, chez certains la crainte remplace la joie des débuts. D'autres au contraire restent animés par la volonté

▲ Louis XVI est guillotiné place de la Révolution (aujourd'hui place de la Concorde) le 21 janvier 1793.

de conserver une République tout juste conquise. Sans parler des difficultés matérielles, plus présentes que jamais. Oui, beaucoup de choses changent à Paris, dans bien des domaines, y compris celui de la mode. Hommes et garçons portent pour affirmer leurs convictions le bonnet rouge sur la tête, comme jadis les esclaves romains libérés (le bonnet phrygien), et la veste courte appelée carmagnole. La carmagnole donne d'ailleurs son nom à une nouvelle chanson qui devient aussi célèbre que *Ah ! ça ira, ça ira.* Les filles comme les femmes ont un souci commun : ne pas oublier en sortant de chez elles de fixer une cocarde tricolore à leur coiffure. Sans elle, elles risqueraient d'avoir des ennuis, chacun devant afficher en public ses sentiments républicains.

Preuve supplémentaire de la fraternité que les républicains désirent : aujourd'hui, tout le monde se tutoie, y compris les apprentis en parlant à leurs maîtres, les marmitons s'adressant aux clients des restaurants, les petits Auvergnats en rapportant à leurs pro-

▼ **Les petites filles vendent des cocardes tricolores. Celui qui n'en porte pas est suspect.**

▼ Cette réunion autour d'un banquet symbolise
la fraternité républicaine.

33

priétaires les chaudrons et la vaisselle raccommodés par leur père, venu tout exprès à Paris gagner un peu d'argent. Beaucoup de provinciaux arrivent toujours en effet dans la capitale, espérant y trouver du travail ; des enfants sont souvent du voyage.

Les nobles qui sont demeurés à Paris se terrent en famille, craignant d'être arrêtés, condamnés. Beaucoup sont en province, d'autres à l'étranger. Les enfants des bourgeois (avocats, médecins, commerçants, fabricants...) mènent une vie normale, ils en ont les moyens. Ceux de condition plus

modeste essaient de se débrouiller face aux difficultés de tous les jours pour aider leur famille, quelquefois d'une façon un peu inattendue, telles ces fillettes servant de cobayes à des apprentis coiffeurs qui apprennent sur leurs têtes à friser à l'aide de fers rouges, à couper, à coiffer. Après quinze jours de ce traitement, elles ne manquent ni de brûlures, ni de coups de ciseaux sur les oreilles et dans le cou.

Il y a non seulement beaucoup de pauvres à Paris, mais aussi des mendiants. Des vrais et des faux. Parmi ces

▼ Pour les plus pauvres, la Révolution n'a rien changé :
ils sont toujours obligés de mendier pour survivre.

derniers existent des « dresseurs d'enfants », qui abîment bras et jambes de leurs victimes pour éveiller la pitié des passants. Chaque année, on recueille dans les hôpitaux de Paris des milliers d'enfants abandonnés. Beaucoup d'entre eux viennent de province. Les sans-culottes essaient aussi de leur venir en aide. Ils n'ont pas seulement joué un rôle dans la chute du roi et l'établissement de la Terreur, ils organisent aussi des comités de bienfaisance dans les quartiers, qui collectent de l'argent et s'occupent des miséreux.

LINETTE

À L'ATELIER

Dans les grandes villes, les maisons ont plusieurs étages. Au rez-de-chaussée sont installées les boutiques ou la demeure de familles riches. Plus on monte les escaliers et plus les locataires sont pauvres.

Au dernier étage d'une de ces maisons de Paris, Linette vit avec sa mère, elle a sept ans. Son père est mort, sa mère n'est pas en bonne santé, alors Linette a eu le droit d'aller travailler dans un de ces ateliers de textile ouverts exprès par le gouvernement pour donner de l'ouvrage aux plus malheu-

reux, à Paris et un peu partout en province. Linette se rend au travail tous les matins, dès l'aube, après avoir avalé un bol de soupe. L'atelier est installé dans un vieux local où la lumière manque, où il fait trop chaud l'été et trop froid l'hiver. Dix à onze heures par jour, Linette apporte aux ouvrières du tissu coupé qui se transformera en uniformes pour l'armée. Le soir, elle a le dos douloureux et la nuque raide.

« Tout ça pour gagner deux ou quatre sous, dit-elle, à peine de quoi acheter un morceau de pain. »

Les enfants qui l'entourent approuvent, mais les autres ouvrières répliquent :

« Tu ne gagnerais pas davantage dans une entreprise privée. »

Linette soupire, pense à sa mère et baisse la tête.

▲ *La Révolution n'a pas aboli tous les privilèges.*
Seules les femmes riches peuvent s'offrir de belles toilettes.

► L'institutrice républicaine apprend à son élève le texte de la Déclaration des droits de l'homme et du citoyen.

Un rêve : l'école pour tous !

Depuis le début du siècle jusqu'à la Révolution, l'instruction publique a progressé. Cependant, en 1788, on estime que moins de la moitié des Français et moins d'un tiers des Françaises savent signer de leur nom le registre des mariages à l'église. Ceux-là savent-ils tous lire ? Sûrement pas. De plus, un Français sur trois ne connaît pas la langue française et parle uniquement la langue ou le patois de sa région : provençal, breton, alsacien...

Dès 1793, les autorités républicaines proclament l'école publique obligatoire et gratuite. C'est en France la première fois qu'on décide de donner une instruction de base à tous les enfants, sans exception, garçons et filles, à partir de cinq ou six ans. L'Assemblée nationale essaie aussi d'aider l'enseignement secondaire en offrant des bourses aux élèves méritants et crée de grandes écoles destinées à l'enseignement supérieur.

L'organisation des écoles primaires revient aux municipalités qui les installent souvent dans les presbytères, anciennes habitations des prêtres. Le matériel et le confort manquent, les classes sont surchargées, comptant parfois jusqu'à soixante-dix élèves. Les cours commencent à six heures du matin, les enfants travaillent huit heures par jour, garçons et filles séparés. Dans les campagnes, beaucoup d'élèves sont absents au moment des grands travaux des champs.

Le problème est de trouver des instituteurs. Le métier d'instituteur est proposé à qui le veut, sous le contrôle municipal ou celui d'une assemblée de pères de famille devant qui se présentent les candidats, anciens militaires, employés, etc. Ces derniers doivent être avant tout de « bons et fidèles républicains ». Vient ensuite l'examen de leurs compétences, écriture et orthographe, opérations de calcul et autres. Déceptions nombreuses : l'un sait lire mais ne parvient pas à faire une addition, un deuxième ignore la géographie, un troisième est sourd... Et puis, il se présente bien moins de postulants qu'il

◀ L'école débute
à 6 heures du matin :
pas étonnant qu'on puisse
s'endormir sur son livre !

Dans le calendrier républicain, la semaine est remplacée par la décade, période de dix jours ; l'année nouvelle commence le 22 septembre, date de l'avènement de la République.

n'y a de places disponibles, d'autant qu'on leur propose un salaire très bas.

Les nouvelles écoles primaires se fixent comme objectif de former des patriotes capables de comprendre, de réfléchir, d'exercer des responsabilités. Elles ne cachent pas leurs opinions. Elles sont laïques, c'est-à-dire non religieuses. Les premiers mots qu'on apprend dans les nouveaux manuels scolaires sont : liberté, égalité, fraternité, mort aux tyrans, République. Les élèves chantent chaque jour des chants républicains, les livres qu'ils reçoivent comme récompense ont pour titres : *Les Crimes des rois de France, Les Droits et les Devoirs de l'homme...*

Dans les villes, des sorties de classes sont organisées chez des artisans au travail ou bien dans des clubs où se tiennent des réunions politiques.

Revenus en classe, les élèves ont droit à un cours d'instruction civique. Par exemple :

« – Question : Qui es-tu ?

Réponse : Un enfant de la patrie.

– Question : Quelles sont tes richesses ?

Réponse : La liberté et l'égalité.

– Question : Qu'apportes-tu à la société ?

Réponse : Un cœur pour aimer mon pays et des bras pour le défendre... »

Du fait des difficultés rencontrées, du manque d'argent et de maîtres, les dirigeants républicains font vite marche arrière, suppriment l'obligation d'aller à l'école et tolèrent les écoles religieuses. Tel est le début laborieux d'un grand rêve : l'école publique pour tous, obligatoire et gratuite.

CHARLES

LE BARON

Charles, fils de nobles, est né dans un château de Bourgogne. Admirateurs du philosophe Jean-Jacques Rousseau, ses parents ont décidé de lui donner une éducation moderne, dès sa naissance. Ainsi ils l'ont laissé gigoter à l'aise dans son berceau sans lui maintenir le corps immobile dans des bandelettes, comme le voulait l'usage. Plus tard, ils l'ont obligé à courir bras et jambes nus dans le parc et fait prendre chaque matin un bain d'eau froide, sans se soucier des rhumes.

▲ *Durant de longs mois, le nouveau-né était maintenu serré dans des bandelettes.*

La Révolution est venue. Par bonheur pour eux, les paysans des environs les ont laissés tranquilles, se contentant de ne plus payer les droits de location de leurs terres. Les parents de Charles n'ont pas réagi, trop heureux d'éviter les ennuis que d'autres membres de leur famille ont vécus – fuite, emprisonnement et même guillotine. Ils vivent pourtant dans la crainte et ne se montrent plus dans les villages des alentours.

Charles a maintenant onze ans. Il se réveille avant neuf heures du matin, son domestique personnel lui fait prendre un bain, le frotte et le sèche, lui donne à boire un gobelet de bouillon pour le réchauffer. Ensuite il lui nettoie les oreilles, l'habille, peigne et poudre ses longs cheveux bouclés. Pendant ce temps, Charles récite son catéchisme, les principes de la religion catholique.

Après un petit déjeuner arrosé d'un mélange de vin et d'eau sucrée, Charles travaille avec son précepteur, un abbé qui demeure au château et lui apprend le latin, la grammaire, l'histoire, la géographie et, bien entendu, le catéchisme. Le travail s'arrête à midi ; le garçon déjeune d'une soupe et d'une tranche de bœuf, puis se distrait à

39

son aise. Il joue avec ses automates en fer représentant des soldats, il construit des châteaux avec des cartes à jouer. Désireux de le voir pratiquer une activité manuelle, ses parents ont mis à sa disposition des outils de menuisier. Quand le temps le permet, Charles fait une partie de quilles dans le parc. Ses amis sont rares car ses parents ne reçoivent plus beaucoup.

Le travail reprend vers quinze heures. Charles rencontre d'autres professeurs privés qui lui enseignent la langue allemande, le piano, le dessin. Un maître d'armes lui apprend à manier l'épée. Entre deux cours, il goûte de quelques tranches de pain et de confiture.

L'heure du dîner (qu'on appelle souper) arrive. Le menu comprend généralement un bouillon gras et deux œufs accommodés comme il le désire, omelette ou œufs sur le plat ; le cuisinier lui pose la question avant chaque repas.

Le dîner achevé, Charles parle avec ses parents. Son père l'interroge sur l'emploi du temps de la journée, lui donne une petite leçon de morale : l'homme est bon, la société est méchante, chaque être humain doit être raisonnable. Puis Charles prend respectueusement congé de sa famille et regagne sa chambre. Son précepteur l'accompagne et lui fait réciter ses prières ; le valet prend le relais, lave les pieds du garçon, lui rappelle de faire ses besoins avant de se coucher.

Le lit de Charles se compose d'un simple matelas et d'un seul drap. L'hiver, le domestique lui ajoute un oreiller sur les pieds ; le garçon n'a pas droit à une couverture, toujours dans le souci de l'endurcir au froid.

Tout en lui donnant une éducation moderne, le baron et la baronne s'inquiètent de l'avenir de leur fils dans un pays dont la majorité des habitants ne veut plus de nobles.

◀ *Dans la chambre de Charles se trouvait peut-être cette riche pendule surmontée d'une cage à oiseaux.*

▲ *Pendant longtemps, l'éducation fut réservée*
aux enfants de la noblesse et de la bourgeoisie.

41

▼ L'urne républicaine. Le droit de vote,
c'est-à-dire le droit de donner son avis,
a été chèrement payé.

Le village a changé

La révolution est passée dans ce village de Picardie, comme dans bien d'autres, avec ses joies et ses peines. On a planté l'arbre de la Liberté sur la grande place, l'arbre pousse.

La situation a beaucoup évolué en France. La dure politique menée par le Comité de salut public a porté ses fruits : les soldats de l'an II de la République ont sauvé le pays de l'invasion étrangère et triomphé des soulèvements intérieurs contre-révolutionnaires, parfois avec beaucoup de rudesse. Une réaction s'est produite alors, les Français n'ont plus voulu de cette violence devenue injustifiable à leurs yeux. À la suite d'un complot, Robespierre, symbole de la Terreur, a été guillotiné avec ses amis.

Aujourd'hui, la République semble solidement établie, même si un général ambitieux, Napoléon Bonaparte, rêve

▼ Dans tous les villages de France,
on plante l'arbre de la Liberté,
symbole de la République.

43

déjà de devenir empereur. Le régime féodal a bien disparu, le village a récupéré des terres qui n'appartenaient à personne et dont la famille du seigneur local s'était emparée depuis longtemps, sans aucun droit ; les animaux des paysans vont s'y nourrir désormais et chacun peut chasser à sa guise dans les forêts devenues propriétés communes des villageois. Les paysans qui en avaient les moyens ont racheté à des conditions avantageuses des terres appartenant à l'Église, et celles du seigneur enfui à l'étranger. Il en a été de même dans toute la France : aujourd'hui, un paysan sur deux est un propriétaire – ils étaient un sur trois ou quatre avant la Révolution.

Au village, les paysans se rassemblent, discutent des problèmes locaux, donnent leur avis, par exemple sur les candidats au poste de maire. Cette

▲ Napoléon Bonaparte, général victorieux de la République, rêve de prendre bientôt les rênes du pouvoir.

jusqu'alors, traitant de tous les sujets : politique, religion, agriculture, des ouvrages qui ne se privent pas de critiquer, de proposer des idées nouvelles. Car les esprits s'ouvrent, les mentalités changent, des progrès se font jour dans bien des domaines. Par exemple, avant la Révolution, les hôpitaux des villes étaient considérés comme des asiles recueillant les malades et les miséreux. Désormais, les hôpitaux sont des lieux où l'on soigne les gens, où on essaie de les guérir.

Dans le village vivent quelques familles protestantes. Elles ont maintenant le droit de pratiquer leur religion au grand jour ; le même droit a été reconnu aux juifs. Et puis, on a aboli l'esclavage des Noirs dans les îles d'Amérique occupées par la France : Saint-Domingue, la Guadeloupe, la Martinique.

La vie serait meilleure qu'autrefois pour les enfants et les jeunes s'il n'y avait pas toujours cette guerre contre les pays d'Europe, une guerre qui n'en finit pas, qu'on pense terminée et qui recommence, une guerre qui dévore de plus en plus de soldats. Et pas seulement des volontaires : aujourd'hui, tous les hommes valides sont enrôlés dans l'armée, les uns après les autres, par tranche d'âge. Bien des pères de famille partent sous les drapeaux et les enfants se retrouvent seuls avec leur mère face aux durs travaux des champs.

liberté nouvelle s'appelle la liberté d'expression.

Les enfants écoutent, découvrent, apprennent. Une école va s'ouvrir. Un marchand ambulant, un colporteur, passe régulièrement au village avec livres et brochures, souvent interdits

44

NICOLAS

A UNE PETITE SŒUR

Depuis le printemps 1789, on n'a plus revu les collecteurs d'impôts à Montreuil, et les pigeons aussi ont disparu dans les châteaux du village. Nicolas a appris un jour la naissance d'une petite sœur. « Elle s'appellera Pensée », a annoncé son père.

Pensée ? Les gens disent que rien n'est plus ridicule que de s'appeler Jean, Jacotte ou Denise. Les prénoms à la mode sont Brutus, Minerve, Hercule. D'autres plongent dans l'actualité : Constitution, Fraternité, Sans-culotte, et Culottine pour les filles. On s'inspire des mois du calendrier : Germinal, Messidor, Floréal, ou bien du nom donné aux jours : Abricot, Noisette, Violette, Romarin...

« Pensée est une belle fleur », a approuvé Nicolas. Et ses parents lui ont répondu que Pensée n'était pas seulement une fleur, mais aussi le fruit de l'intelligence, qui permet de connaître, de juger et d'organiser l'avenir.

L'avenir, la révolution de 1789 en a ouvert les portes pour des millions de gens jusqu'alors privés d'espérance. Il peut arriver n'importe quoi maintenant, y compris un empereur et de nouveaux rois, il n'est plus possible de retourner en arrière : tous les Français savent qu'ils naissent libres et égaux. Rien ne leur enlèvera cette certitude.

45

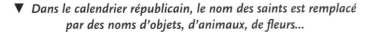

▼ *Dans le calendrier républicain, le nom des saints est remplacé par des noms d'objets, d'animaux, de fleurs...*

CRÉDITS PHOTOGRAPHIQUES

couv. : *Prise de la Bastille, le 14 juillet 1789*, Paris, Musée Carnavalet, ph © Collection Viollet ; p. 8, *Un paysan portant un prélat et un noble*, Paris, B.N.F., ph © Collection Viollet ; p. 9, *Unité, indivisibilité de la République*, ph © AKG Paris ; p. 10, *Ouverture des États-Généraux à Versailles le 5 mai 1789*, Versailles, Musée National du Château, ph © AKG / Erich Lessing ; p. 11, *Cahiers de doléances*, Paris, Archives nationales, ph © Jean Vigne ; p. 12, *Paysage avec berger*, par Hubert Robert, Archangelskoje, Musej (shloßmuseum), ph © AKG ; p. 13, *L'Encyclopédie*, Diderot et d'Alembert. *Agriculture, labourage*, Paris, Bibliothèque Nationale, ph © AKG Paris ; p. 14, *L'Encyclopédie*, Diderot et d'Alembert. *Atelier de menuiserie*, ph © Bridgeman-Giraudon ; p. 15, *La charrette ou le retour de la fenaison*, Paris, Musée du Louvre, ph © Erich Lessing / AKG Paris ; p. 16, *Philippe Égalité avec son fils à cheval*, Chantilly, Musée de Condé, ph © Erich Lessing / AKG Paris ; p. 17, *Taille, Impôts et Corvées*, Paris, Musée Carnavalet, ph © Erich Lessing / AKG Paris ; p. 18, *Prise de le Bastille, le 14 juillet 1789*, Collection Kharbine Tapabor ; p. 19, *Garde-national en 1789*, Paris, Musée Carnavalet, ph © LL-Viollet ; p. 20, *Déclaration des droits de l'homme et du citoyen, 26 août 1789*, Paris, Musée Carnavalet, ph © AKG Paris ; p. 21, *Fête de la Fédération, 14 juillet 1790 au Champ de Mars*, Paris, Musée Carnavalet, ph © AKG Paris ; p. 22, *La marchande de journaux*, in *La Révolution française d'Héricault*, Collection Kharbine-Tapabor ; p. 23, *Le sans culotte et la femme du sans culotte*, Paris, Bibliothèque Nationale, ph © RMN-Bulloz ; p. 24, *Le cerf-volant*, in *La gymnastique de la jeunesse*, Collection SIX / Kharbine-Tapabor ; p. 25, *Groupe de noirs importés pour être vendu en tant qu'esclaves*, ph © AKG Paris ; p. 26, *Louis XVI reconnu à Varennes*, ph © Collection Viollet ; p. 27, *Les volontaires de 1792*, Collection Kharbine-Tapabor ; p. 28, *Partition de la « Marseillaise »*, ph © AKG Paris ; p. 29, *Joseph Barra, mort (1793)*, Eco-musée de la Vendée, ph © Collection Viollet ; p. 30, *Révolutionnaires français dansant la carmagnole autour de l'arbre de la liberté*, Paris, Musée Carnavalet, ph © Bridgeman Giraudon / Lauros ; p. 31, *L'exécution de Louis XVI*, Paris, Musée Carnavalet, ph © AKG Paris ; p. 32, *Citoyen arrêté sans sa cocarde*, Paris, Musée Carnavalet, ph © Josse ; p. 33, *Un banquet républicain*, Paris, Musée Carnavalet, ph © The Bridgeman Art Library ; p. 34, *Mendiants*, Paris, Musée Carnavalet, ph © Bridgeman Giraudon / Lauros ; p. 35, *L'Encyclopédie*, Diderot et d'Alembert. *La marchande de mode*, collection privée, ph © The Bridgeman Art Library ; p. 36, *Institutrice républicaine*, Paris, Bibilothèque Nationale, ph © Collection Viollet ; p. 37, *Un écolier endormi sur son livre*, Monclair (N.J.), The Kassu Art Foundation, ph © AKG Paris ; p. 38, *Petit décadaire d'instruction publique pour l'An III*, ph © I.N.R.P Rouen-Musée national de l'Éducation / Rouen ; p. 39, *Saint Vincent de Paul et les dames de la charité*, par Jean André, Paris, ph © Musée de l'Assistance Publique - Photothèque ; p. 40, *Cage à oiseaux chanteurs*, Paris, Musée des Arts et Métiers, ph © CNAM / P. Faligot ; p. 41, *L'enfant au toton*, Paris, Musée du Louvre, ph © AKG Paris ; p. 42, *Urne électorale en bois*, Paris, Musée des Arts et Traditions Populaires, ph © RMN-Hervé Jezequel ; p. 42-43, *Plantation d'un arbre de la Liberté*, Paris, Musée Carnavalet, ph © Collection Viollet ; p. 44, *Le Général Bonaparte au pont d'Arcole, le 17 novembre 1796*, Versailles, Musée National du Château, ph © RMN-Gérard Blot ; p. 45, *Calendrier républicain*, Vizille, Musée de la Révolution française, ph © Bridgeman Giraudon / Visual Arts Library, London, UK.

Achevé d'imprimer sur les presses de Proost en Belgique
Loi n° 49-956 du 16 juillet 1949 sur les publications destinées à la jeunesse
Dépôt légal : février 2003
ISBN : 2-7320-3762-1